Texte : Gilles Tibo
Illustrations : Philippe Germain

Alex et le match du siècle

À PAS DE LOUP

Niveau

3

Je dévore les livres

Dominique et compagnie

À pas de loup avec liens Internet

www.dominiqueetcompagnie.com/pedagogie

ouvre la porte à une foule d'activités pour les enfants, les parents et les enseignants. Un véritable complément à l'apprentissage de la lecture !

Catalogage avant publication de la Bibliothèque nationale du Canada

Tibo, Gilles
Alex et le match du siècle
(À pas de loup. Niveau 3, Je dévore les livres)
Pour enfants.

ISBN 2-89512-350-0

I. Germain, Philippe, 1963-. II. Titre. III. Collection.

PS8589.I26A87 2004 jC843'.54 C2004-940056-8
PS9589.I26A87 2004

Directrice de collection : Lucie Papineau
Direction artistique et graphisme :
Primeau & Barey
Dépôt légal : 3e trimestre 2004
Bibliothèque nationale du Québec
Bibliothèque nationale du Canada

Dominique et compagnie
300, rue Arran, Saint-Lambert
(Québec) Canada J4R 1K5
Téléphone : (514) 875-0327
Télécopieur : (450) 672-5448
Courriel : dominiqueetcie@editionsheritage.com
Site Internet : www.dominiqueetcompagnie.com

Imprimé au Canada

10 9 8 7 6 5 4 3 2 1

Nous remercions le Conseil des Arts du Canada de l'aide accordée à notre programme de publication.

Nous reconnaissons l'aide financière du gouvernement du Canada par l'entremise du Programme d'aide au développement de l'industrie de l'édition (PADIÉ) pour nos activités d'édition.

Nous reconnaissons l'aide financière du gouvernement du Québec par l'entremise du Programme de crédit d'impôt pour l'édition de livres – SODEC – et du Programme d'aide aux entreprises du livre et de l'édition spécialisée.

À tous les petits vites…
avec ou sans patins !

TIBO

Mon chien s'appelle Touli. C'est le meilleur gardien de but du monde. Moi, je m'appelle Alex. C'est moi qui marque le plus grand nombre de buts dans la ruelle, dans la cour de récréation et au parc. Je suis le champion des champions. Tout le monde dans ma classe, tout le monde dans l'école et tout le monde dans le monde est d'accord là-dessus.

Tout le monde est d'accord, sauf le grand Pélo.
Lui, il est deux fois plus grand, quatre fois plus gros
et six fois plus lourd que moi. Avec toute sa bande,
il s'approche d'un air menaçant.

Très en colère, le grand Pélo me soulève au bout de ses bras.

Il n'y a qu'une façon de savoir lequel de nous deux est le meilleur joueur de hockey du monde ! Nous allons nous affronter dans la ruelle, derrière chez moi !

Il me suspend au panier, puis il me lance :
—Nous vous attendons samedi prochain, toi et
ta bande de zigotos, à onze heures précises,
pour le match du siècle !

Nous sommes lundi. Je n'ai que quatre jours pour recruter l'équipe du siècle. Après l'école, je me précipite chez mon ami, le gros Bob. Je lui explique la situation catastrophique dans laquelle je me trouve.

Lorsqu'il entend parler du grand Pélo,
le gros Bob répond en tremblant :

Impossible de jouer samedi
matin ! Il faudrait que je suive
un régime de trois mois...
en quatre jours seulement !

Je vais voir mon amie Martine. Je lui explique la situation. Elle aussi a une bonne excuse :
—Impossible de jouer samedi. Je vais me faire percer la narine avec ma mère.

Je cours chez Mohamed. Je le supplie de se joindre à mon équipe. Il me répond :
– Samedi matin ? Impossible ! J'ai un cours de boxe... c'est moins violent !

Je fais le tour de tous mes amis. Mathilde a trop de devoirs et de leçons... Super Stéphane s'est cassé un orteil... Romane dit qu'elle a mal aux dents... Et le petit Léo grandit tellement vite qu'il en est tout étourdi.

Le soir, je m'endors et je fais un rêve affreux.
J'affronte, seul avec Touli, l'équipe du grand Pélo.
J'essaie de me faufiler entre les jambières des
grands joueurs, mais je ne peux pas me rendre au
but adverse. Poursuivi par toute l'équipe des
géants, je dois me sauver au bout du monde.

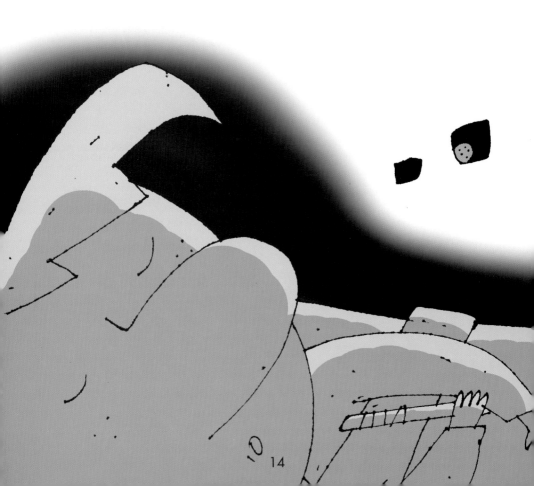

À la fin de mon rêve, je suis perdu sur une planète inconnue, une planète sur laquelle personne ne joue au hockey !

Le lendemain matin, en déjeunant, je cherche un moyen de vaincre les grands et gros et lourds géants de l'équipe adverse.

J'imagine des joueurs sur des échasses, des joueurs assis les uns sur les épaules des autres, des joueurs qui cachent un oreiller sous leur chandail pour impressionner l'ennemi. Je songe aussi à une équipe

de robots prêts à se faire démolir. Je pense même à demander l'aide d'une équipe d'extraterrestres énoooormes ! Mais personne ne vient me secourir. Je suis seul au monde !

Toute la journée, j'essaie d'éviter le grand Pélo.
Mais il me fait de l'ombre dans la cour de l'école.
Le mercredi, dans la classe, il me regarde en tordant
sa règle de métal. Le jeudi, il s'amuse à casser de
vieux bâtons de hockey sur ses genoux en murmurant :

Hé... Hé... Comme j'ai hâte à samedi !

J'ai tellement peur que je retourne chez moi en pleurant. Ça y est, ma carrière de meilleur joueur de hockey est terminée. Je vais accrocher mes patins, heu… mes espadrilles.

Les larmes aux yeux, j'enlève toutes les affiches de joueurs de hockey qui recouvraient les murs de ma chambre. Je cache mes albums de photos sous mon lit. Je lance mes beaux chandails au fond de la poubelle. Puis je me jette sur mon lit. Je veux dormir et, surtout, ne pas rêver.

Vendredi matin, je me mets en
route pour l'école, complètement
découragé. Mon cœur bondit dans
ma poitrine lorsque je rencontre
la belle Sarah. Tête baissée, je lui
avoue que, malheureusement, je
ne suis plus le meilleur joueur de
hockey du monde. Elle me répond :
— Mais voyons, Alex ! On peut
trouver une solution à chaque
problème ! Laisse-moi réfléchir !

Le samedi matin, à onze heures précises, j'arrive dans la ruelle fatale en compagnie de la belle Sarah et de sa toute nouvelle équipe. Ce sont des joueurs tout petits, tout menus, tout délicats… mais ils sont tous champions de gymnastique de l'école.

En nous apercevant, le grand Pélo et son équipe de géants éclatent de rire. Le mur qu'ils forment, tous ensemble, est si large et si haut qu'il bouche le fond de la ruelle et une partie du ciel. On ne voit même plus le soleil.

25

TRUT ! TRUT ! TRUT ! En sifflant, la belle Sarah
annonce le début du match. À la vitesse de l'éclair,
mes petits gymnastes se lancent entre les jambes
des gros joueurs en faisant des culbutes,
des roulades, des flips-flaps avant, des
flips-flaps arrière, des
sauts périlleux
à gauche et
à droite.

La rondelle circule à une vitesse telle que l'équipe des Géants est incapable d'y toucher. Je marque un premier but, puis un deuxième, puis un troisième…
À la fin de la première période, la belle Sarah crie :
— C'est trois à zéro pour l'équipe des Poux.

Pendant la deuxième et la troisième période, bzzz... bzzz... bzzz... mes petits joueurs tournent autour des Géants comme des mouches, des maringouins, des abeilles. J'en profite pour marquer des dizaines de buts pendant que Touli fait la sieste devant son filet désert.

TRUT ! TRUT ! TRUT ! Sarah siffle la fin du match :
– C'est quarante-huit à zéro pour nous !

Le grand Pélo est tellement épuisé qu'il ne peut plus bouger. Mes joueurs, la belle Sarah, Touli et moi-même, nous crions victoire… et prenons la poudre d'escampette !

En courant, Sarah me dit :

Alex, tu es toujours le meilleur !

C'est le plus beau jour de ma vie !